悠悠长假

②暴风雨来临

〔法〕米歇尔·莱迪耶
(Michel Leydier) ◎著

〔法〕埃米尔·布拉沃
(Emile Bravo) ◎绘

水冰◎译

北京科学技术出版社
100层童书馆

故事中的主人公

克洛蒂

漂亮又顽皮，
口齿伶俐。

欧内斯特

温柔又活泼，
比自己想象得更加
勇敢机智。

小泥巴

外公为克洛蒂买的宠物小猪。

妈妈露西

勇敢又坚强，
正在与病魔抗争。

爸爸罗伯特

善良又热情，
总能化险为夷。

外公帕皮卢

有点儿粗鲁，
心直口快，
但对孙辈们特别关爱。

外婆玛米丽

很有原则，
对孩子们很温柔，
总是替他们说话。

加斯顿·莫尔托
马赛隆·莫尔托

虽然有点儿调皮，
但都不是坏孩子。

费尔南德·格贝尔

阿尔萨斯人，
为躲避德国军队的迫害，
刚刚来到诺曼底。

铃兰

勇敢、野性十足，
成熟得让人吃惊。

吉恩

镇长的儿子，
欧内斯特在格朗维尔的
第一个朋友，很有教养，
又很幽默。

自开战以来，欧内斯特和克洛蒂一直住在外公外婆家。爸爸去前线打仗了，而妈妈在瑞士的疗养院治疗肺结核。但幸运的是，兄妹俩遇到了吉恩、铃兰、费尔南德……几个孩子一起组成了"鲁滨逊小队"。

出　发

1940年春天，德国军队突袭法国。他们绕过马其诺防线，从北部进入法国，相继占领了布洛涅、加来和敦刻尔克等城市。德军的推进速度引起了人们的恐慌。他们每逼近一个地区，那里的居民就纷纷向南逃走。很快，诺曼底也陷入了即将被德国军队占领的恐慌中。

在这样兵荒马乱的时局下，外公和外婆做出了一个非常艰难的决定——离开格朗维尔。逃亡意味着有可能失去家乡的一切。可是，德国士兵每占领一处，就会无情地残害那里的无辜民众，让人感到十分害怕。外公和外婆最担心的就是孩子们的安全。外婆记得她在南方有个表姐，也许那个表姐能接纳他们，帮忙保护孩子们……

6月的一个清晨，外公和外婆正在收拾行李，欧内斯特跑进森林。他必须将他们要离开格朗维尔的事情告诉好朋友铃兰。铃兰正在森林里的秘密小屋中。小屋中间有棵大树，铃兰正站在树顶的观察哨上吹着口哨。

"铃兰！"欧内斯特气喘吁吁地喊道，"快下来！"

"怎么了？"铃兰看到他这个样子，十分惊讶。

"我们要离开这里了！吉恩和费尔南德都走了……你不能留在这里，德军就要来了！跟我们一起走吧！"

铃兰不慌不忙地从树杈上爬下来，说："不用担心我！我和爸爸都不怕，我们可以藏在森林里，德国佬永远都找不到我们！"

欧内斯特不理解铃兰为什么还能这么淡定，他

身边的每个人都说现在情况很糟糕。

"但是……这里很危险！他们说德国士兵见人就杀，还开着飞机轰炸道路和村庄……"

铃兰突然把手放在欧内斯特的肩膀上，给了他一个拥抱。欧内斯特脸红了，不知道该说些什么。

"咱们鲁滨逊小队肯定会再见面的！"铃兰安慰他道，"别忘了咱们的约定：同生共死，永不放弃！"

欧内斯特呆愣在原地，不知所措。

见他发愣，铃兰催促道："你赶快离开这里吧！"

欧内斯特只好转身向家走去，又忍不住回头喊道："再见，铃兰，你要好好照顾自己！"

回到家的欧内斯特依旧忧心忡忡：铃兰和她的爸爸会怎么样呢？

外公开始往马车上堆行李，负责拉车的小马皮科坦已经套好。这时珍妮来了，是来和他们一家人道别的。

"我不会把我的农场留给强盗的，"她怒气冲冲地说，"我要留下来！"

"你和我们一起走才安全。"外公劝道。

"我不走！德国人虽然夺走了我的丈夫，但他们抢不走我的农场！"

屋内，外婆又收拾了一些东西，并让欧内斯特和克洛蒂去收拾自己的东西。

"只带必需品，别增加负担。"外婆说。

几分钟后，兄妹俩拿着一个手提箱和一个包从房间里走了出来。

"我们要是走了，妈妈的信要寄到哪里？"克洛蒂尤其为这件事担心。

"别担心，"欧内斯特向她保证，"我们可以写信把新地址告诉妈妈。"

欧内斯特抓起挂在厨房墙上的一个相框，里面放的是爸爸妈妈的结婚照。他对妹妹说：

"把这个也拿上吧！"

克洛蒂接过相框后看向外婆，有些忐忑地问：

"外婆，我们可以带这个吗？"

"当然可以，亲爱的。"

外婆边说边在篮子里装满了食物，克洛蒂笑着把相框紧紧贴在胸口，然后和哥哥、外婆走出了家门。

珍妮还是决定坚守家乡。她跟外婆告别道：

"路上要小心，老朋友。我会想念你们的。照顾好这匹可爱的小马！"

"你也是，珍妮，照顾好自己！"外婆回道。

她们深深地拥抱了彼此，才依依不舍地分开了。看着珍妮越走越远的背影，外婆的心情更沉重了。

欧内斯特和克洛蒂正在跟小泥巴嬉闹。在克洛蒂看来，这次仓促的出行不过是一次郊游。欧内斯特则忧心忡忡，不过他没在妹妹面前表现出来。外公越来越焦躁。他知道等待他们的绝不是一场快乐的旅行。看到还在玩耍的兄妹俩，他忍不住喊道："欧内斯特，快过来！"

他脸色阴沉地把欧内斯特叫到鸽舍前，克洛蒂也好奇地跟了过来。只见外公打开鸽舍的一扇笼子门，挥着手臂驱赶起鸽子：

"快出来！你们都快飞走吧！"

但鸽子们似乎不愿意离开。外公只好转向欧内斯特，说："用你的棍子敲敲笼子！"

欧内斯特被外公的反常吓了一跳，轻轻敲了几下笼子。但鸽子光在笼子里扑腾，迟迟不肯飞出去。

"再用力一点儿。来吧，给我！"外公夺过棍子，使劲地敲打着他多年来精心照顾的鸽舍。

"飞啊！快出来！"他怒吼着。

克洛蒂被外公的行为吓哭了，恳求他不要再敲了。这时鸽子终于全部飞走，消失在了天空中。外公看起来非常痛苦，因为他不得不抛弃家园的一切：他的家乡、房子和养了多年的鸽子。但他还是很快平复了情绪，和兄妹俩回到了马车边。此时邮递员巴蒂斯特也骑着自行车加入了逃亡的队伍。

"准备好了吗？"他问大家。

"差不多了。"外公说。

巴蒂斯特像往常一样背着邮包，但今天里面

装的不是信件。他神秘地拍了拍邮包，向孩子们眨眨眼：

"我带了一些路上用的东西。"

回去拿东西的外婆这时也走了出来。她踌躇了一下，然后转过身轻轻把门合上了。

外公奇怪地问："不锁门吗？"

"难道要等着强盗破门而入吗？ 就这样开着吧！"

外婆说完，悲伤地走向马车。外公凑到她耳边说："我把证件，还有你的首饰，都埋在老橡树下了。如果出事……你就去那里……"

"别说不吉利的话。"外婆打断他。

孩子们已经和小泥巴一起爬上了马车，巴蒂斯特把手放在车把上，准备出发。

"外婆，晚上我们要睡在哪里啊？"克洛蒂问。

"当然是在星空下喽！"

"太棒啦！"克洛蒂高兴极了。

外公拉起小马的缰绳："皮科坦，驾！"

2

过 桥

当马车抵达通往鲁昂的岔路口时，外公皱起了眉头。和他们一样逃难的人排成了长龙，有的步行，有的骑车，有的推着装满行李的手推车，还有的拉着不堪重负的拖车。人群中有男有女，有襁褓中的婴儿，也有白发苍苍的老人，他们的眼中都充满了疲惫和沮丧。春末夏初的闷热让人喘不过气，也让这次漫长的征程更加难熬了。

人们都在往南走，以为那里会更安全。

"这比周末的集市还要热闹呢。"巴蒂斯特说。

孩子们从马车上下来了。

"跟紧我们！"外公命令道，"人这么多，别走散了。"

他们的马车融入人流，漫长的征程正式开始了。

"外公，这些人要去哪里？"欧内斯特问。

"也许他们自己也不知道要去哪里。"外公回答。

就这样，他们连续走了好几个小时。每经过一个岔路口，都会有新的逃难者加入行进的队伍。他们时不时会超过一些在路边树荫下歇脚的疲惫家庭——如果真能找到阴凉的话。

正午刚过，突然一阵发动机的轰鸣声打破了队伍的寂静。外公猛地转身抬头，发现身后的上空盘旋着两架德国斯图卡轰炸机。它们正发出刺耳的警报声，沿公路低空向他们袭来！

突然，轰炸机开始向人群扫射！恐慌的人群立即四散开来，到处都是惊恐的尖叫声。

"快趴到路边去！"外公喊道。

在震耳欲聋的轰鸣声和嘈杂的吵嚷声中，外婆把克洛蒂拽向路边，巴蒂斯特躲在了马车下。机枪射

出的子弹从他们耳边呼啸而过。就在这时，草地上的一头牛被击中了侧腹，哀嚎着倒下了，场景骇人至极。小泥巴吓得乱跑起来，克洛蒂挣脱开外婆的手追了上去。

"小泥巴！"她喊道。

欧内斯特鼓起勇气追上妹妹，命令她躲进路边的沟里。但克洛蒂充耳不闻，只顾着追小泥巴。这时，轰炸机离他们只有不到一百米的距离了。

外公惊慌失措地跟在两个孩子后面跑。

"快躲起来！"他喊道。

外公追上欧内斯特，把他摁倒在地。下一秒，轰炸机轰鸣着从他们的头顶飞过，两个人急忙滚进了沟里。

几秒钟后，他们抬起头来，轰炸机已经飞走了。他们发现克洛蒂正在路中间抚摸着小泥巴。

"克洛蒂！"外公气得浑身发抖，又惊又怒地喊

道，"以后再也不准这样了，你听到没有？绝对不能再这样了！"

"但是……小泥巴……"小女孩结结巴巴地为自己辩解道。她隐约意识到自己做了件蠢事，却不知道后果可能很严重。

外公又急又气，抓住她的肩膀使劲摇晃着，冲她喊道："你差点儿为一只猪丧命！"

外婆走过来抱着克洛蒂抽泣道："我的克洛蒂……"

她从来没有这么害怕过。

欧内斯特沉默不语，好像被吓呆了。他知道妹妹的鲁莽差一点儿就让她丧命了，这次只是运气好而已。

渐渐地，越来越多的人回到了行进的队伍中。他们不得不放弃被轰炸机摧毁的家当，虽然感

到无奈，但还是要继续向前走。在这支庞大的队伍中，所有人的脸上都写满了悲伤，他们正一步步朝着未知的目的地前进，场面甚为悲壮。

小泥巴被一根绳子拴在了马车上，以防它再次危及大家的安全。

"恐怕想从鲁昂渡过塞纳河的不只有我们。"巴蒂斯特对外公说，"那里可能已经被堵得水泄不通了。"

这时，一个只提着两个手提箱的人超过了他们，说道："为了阻止德国佬前进，法国军队炸毁了塞纳河上绝大多数桥。"

外公看起来很震惊："真的吗？那你知道还能从哪里过河吗？"

"咱们离科什雷勒的桥不远了，但是要走快一点儿才能在他们炸桥前赶到。"

欧内斯特担心地问巴蒂斯特："德国佬会追上我们吗？"

"不会的，"巴蒂斯特向他保证，"咱们比他们聪明。"

队伍又前进了大约十五分钟，行进的速度明显慢了下来。远处可见一座横跨塞纳河的桥，一群法国士兵正把守着桥头。

前方的队伍缓慢地过着桥。当欧内斯特一家到达桥头的路障时，现场早已一片混乱。

这时，士兵们似乎接到了无线电发来的指令。一个士兵突然站在桥头中央，挡在了皮科坦前面。

"停下！"他喊道，"不许再往前走了！我们要炸桥了！"

"你说什么？！"外公很生气，"你们明明知道德国佬就在后面，这样做是要把我们留给他们吗？！"

"这是命令！"士兵厉声说道。

不少人试图强行通过，纷纷从士兵身侧快速跑过。就在这时，德国轰炸机再次出现在空中。现场更

混乱了，每个人都在想方设法躲起来。

轰炸机刚飞过，法国士兵就命令道："德国人来了，快炸桥！"

顿时，大家拼命向对岸跑去。被拴在马车上的小泥巴逃脱不了，被绳子拽得拼命嘶叫着。外公见状赶紧去解绳子。

桥上的人乱成一团，外婆也被人群挤着带到了桥上，不得不往前走。士兵们强行疏散着人群，其中一名士兵抓住外婆的胳膊，使劲把她拖到了对岸。

"快走，夫人，要炸桥了！"

"但是我的家人还在那边！"外婆抗议着，朝亲人们所在的方向使劲挥手。

"没时间了！"士兵吼道。

几秒钟后，士兵再次命令道："所有人快趴下！"

这时，外公终于解开了小泥巴的绳子，刚刚抱着它趴下，法国士兵就按下了引爆器，炸药接连爆炸。

伴随着一声声可怕的巨响，浓烟升起，弥漫到塞纳河两岸，转眼间整座桥就被炸得粉碎。随即一切渐渐归于平静，浓烟也开始消散。

外公抱着小泥巴站起身来，神情还有些恍惚。巴蒂斯特急忙带着孩子们跑过来。克洛蒂发现皮科坦倒在桥下，已经死了。她忍不住哭了起来。欧内斯特看着那座已经变成废墟的桥，一句话也说不出来。外公望向对岸，想要寻找外婆的身影，可是距离太远，什么都看不清。他久久地处于震惊中，无法回神。

　　"咱们不能再往前走了……咱们得……回家去。"

3

回到格朗维尔

　　欧内斯特、克洛蒂和巴蒂斯特一齐看着外公，不太理解他的决定。

　　"那外婆呢？"克洛蒂担心地问。

　　外公转过身来，定了定神说："不用担心，我看见她到对岸去了。"

　　然后他用严肃的语气对巴蒂斯特说：

　　"请把孩子们带回格朗维尔。我要去找我的妻子。"

　　"什么？我……可是……"巴蒂斯特结结巴巴地

说，显然他被外公突如其来的托付吓坏了。

欧内斯特终于开口了：

"但是，外公，桥已经没了！"

"沿着河走下去，会找到另一座桥的，要是找不到，我就借一条船。大不了我就游过去……我不能丢下她不管，明白吗？"

"我明白。"欧内斯特低下头，悲伤地回答。

"你已经是大孩子了，我相信你会照顾好妹妹。"

外公哽咽着弯下腰去拥抱孩子们。"好好听巴蒂斯特叔叔的话！我和外婆很快就会回来的。"他承诺道。

外公把巴蒂斯特拉到一边交代了几句，孩子们一脸茫然地看着他们。因为这可恶的战争，他们已经快一年没见到爸爸妈妈了，现在连外公外婆也要离他们而去。

"你觉得外公能找到外婆吗？"克洛蒂问哥哥。

欧内斯特当然不知道，但他必须安抚妹妹，这是他的责任。

"一定能。"他走到妹妹身边，把手放在她的肩膀上。

"我想和外公在一起。"克洛蒂哽咽着说。

"别担心，克洛蒂，一切都会好起来的！"欧内斯特一边说，一边强忍泪水看着外公沿着河岸向远处走去。

过了一会儿，像大多数没能渡过塞纳河的人一样，巴蒂斯特和兄妹俩开始往回走。他们比来时更加沮丧，更加疲惫，还又渴又饿，因为食物越来越少了。而且他们知道，迟早会直面德国人的。

顶着6月的烈日走了数小时后，他们看到太阳就快落山了。路上到处散落着垃圾、各种被遗弃的物品

和被德国轰炸机炸得七零八落的车辆……成片的村庄陷入混乱，曾经那么美丽的风景如今已面目全非。

突然，小泥巴挣脱克洛蒂手里的绳子，像箭一样冲了出去！两个孩子追在它后面，发现它在一个他们都十分熟悉的男孩——吉恩，也就是镇长的儿子脚边停住了。吉恩正坐在一辆布满弹孔的小轿车前。见到熟悉的面孔，欧内斯特松了一口气：

"吉恩，见到你太好啦！你没事吧？你和家人在一起吗？"

吉恩本来很高兴见到欧内斯特，但他现在实在开心不起来。

"我们的车子报废了，妈妈也受伤了。"他回答。

胳膊上缠着绷带的镇长夫人这时也走下车来。

"孩子们，你们怎么会在这儿？"

"吉伯特夫人！"巴蒂斯特惊呼，"您怎么会伤成这样？"

"只是擦伤而已，没什么大碍！不过，欧内斯特……你的外公外婆呢？"

巴蒂斯特向她简单讲述了他们在桥头的遭遇。

"而且我们没有吃的了！"克洛蒂难过地补充道。

"我们这儿还有一些食物。"吉伯特夫人笑着说。

"您愿意和我们一起回去吗？"巴蒂斯特问。

"非常愿意！"她回答。

经过几分钟的休整，五个人一起向格朗维尔走去。大家都感觉心情轻松了一些。因为他们都觉得只要在一起就会更强大，可以共同面对困境。被克洛蒂牵着的小泥巴则像侦察兵似的走在小队的最前面。

　　"镇长先生现在在哪里呢？"巴蒂斯特问吉恩。

　　"爸爸留在镇公所，"吉恩自豪地回答，"他说要像船长守护自己的船一样，永远守护自己的镇子。"

　　他们静静地前进着，忽然，附近田野里传来的婴儿哭声引起了他们的注意。他们离开大路循声去找，很快就发现了一个只有几个月大的婴儿。婴儿被紧紧地裹在襁褓里，身旁的手提箱里装着供换洗的衣服，还有奶瓶和食物。

"可怜的小家伙，"吉伯特夫人说着，把她抱在怀里，"你怎么一个人在这儿？"

"麻烦还不够吗？"巴蒂斯特抱怨道，"又来一个婴儿！"

"她好可爱呀！"克洛蒂感叹道，"她的妈妈呢？"

巴蒂斯特在不远处的地上发现了血迹。他顺着血迹走了大约十五米，突然被什么东西绊了一下。他低头一看，高高的草丛里躺着一具年轻女子的尸体。显然她就是这婴儿的母亲。巴蒂斯特脸色煞白，呆立了好久。随后他假装镇定地回到吉伯特夫人身边，趁着孩子们玩手提箱里的摇铃和其他玩具时，悄悄向吉伯特夫人透露了刚才的发现。

"我去拿把铲子把她埋葬起来，我们不能就这样丢下她不管。"巴蒂斯特说道，"你们先走，我会追上来的。别吓着孩子们，跟他们说我去找婴儿车了。"

吉伯特夫人把孩子们叫到身边，抱着婴儿重新上路了。过了一会儿，巴蒂斯特追上了他们。他尽力埋葬了年轻的母亲，还在一条沟里找到了一辆婴儿车。

太阳即将消失在地平线。

"该停下来过夜了。"吉伯特夫人说。

巴蒂斯特点点头："孩子们，咱们在这片林间空地休息吧。"

他们围坐在一起，吉伯特夫人把仅剩的一点儿食物拿出来，放在一块布上。虽然食物很简单，但因为多了一个可爱的婴儿，这顿饭的氛围竟意外地好。

饭后大人们分发了仅有的几条毯子，大家躺了下来。欧内斯特和克洛蒂共用一条毯子。

"你觉得外公找到外婆了吗？"克洛蒂低声问哥哥。

"当然，你知道外公的，他们现在一定已经在一起了。"

"爸爸妈妈呢？你觉得他们也很好吗？"

"当然了，我敢肯定。好了，睡觉吧。"

巴蒂斯特摊开双臂打着呼噜，小泥巴在睡梦中发出哼哼唧唧的声音，逗得克洛蒂和欧内斯特咯咯地笑了。

4

停 战

黎明时分，大家出发去寻找食物。他们在附近的一个果园吃到了新鲜的水果，然后准备上路。刚出发，兄妹俩就发现一个法国士兵坐在一棵树下。他的眼睛被钢盔遮住了，下巴抵在胸前，步枪横在腿上。

克洛蒂停下来看着他，问哥哥："他在干吗？是睡着了吗？"

"应该不是。"欧内斯特回答，其实他已经猜到了真相。

"可是你看，他好像梦见了什么，正在笑呢。"克洛蒂说。

　　欧内斯特不想吓到妹妹，便敷衍道："是的，咱们别吵醒他，走吧！"

　　他心烦意乱，拉着克洛蒂的手回到队伍中。

　　路上的人变得比前一天少了。

　　上午，他们遇到了一支开着车的德国军队。听见车声，几人迅速让到路边，静静地注视着车队驶过。几十辆卡车一辆接一辆地缓慢行驶着，每一辆

的车厢里都挤满了德国士兵。这些士兵大多数是年轻面孔，看起来都很高兴，有些士兵甚至向他们挥手示意。

"他们看起来没那么坏。"欧内斯特说。

"他们就是德国佬？"克洛蒂惊讶地问巴蒂斯特。

年轻的邮递员和吉伯特夫人交换了一个警惕的眼神。

"咱们接着走吧！如果走得快，大概中午就能到家了。"

果然，他们在快到中午时进了村子。大家松了口气，都觉得自己经历了一次不寻常的冒险。

"对了，巴蒂斯特，外公外婆不在家，欧内斯特和克洛蒂不能独自回家。你打算带他们去哪儿？"吉伯特夫人问。

巴蒂斯特显得很为难。

"这个……帕皮卢让我带他们去……莫尔托家。"

欧内斯特惊呆了，后退了一步。让他和那两个总嘲笑他的讨厌鬼住在一起？这简直不可想象。

"什么？不要！"他喊道，"我不要去莫尔托家！"

"你们的外公说珍妮会好好地照顾你们的⋯⋯"

吉伯特夫人说："当然！珍妮是个了不起的女人，但她农场里的活儿太多了，而且她还有三个孩子要照顾。这样吧，我来照看欧内斯特和克洛蒂。反正我们

家的房子够大，他们跟我们住，一定会很舒服的。"

"您说得没错，但帕皮卢坚持⋯⋯"巴蒂斯特艰

尬地说道。

吉伯特夫人向他投去一个不容置疑的眼神，说道："责任我来负。"

"嗯……那好吧……那就这么定了。"巴蒂斯特结结巴巴地说。看来他只能尊重镇长夫人的决定了。

三个孩子高兴坏了。

"咱们走吧！"吉伯特夫人对他们说。

于是他们向巴蒂斯特告别，与他在村里的广场上分开了。吉伯特夫人心事重重，除了要照顾欧内斯特和克洛蒂，她还得去找找婴儿的家人……

回到吉恩家后，欧内斯特、克洛蒂、吉恩和小泥巴一起在院子里玩耍。突然，铃兰骑着自行车来了。"嘿，鲁滨逊小队！"她说，"巴蒂斯特跟我说你们回来了。很高兴再次见到你们！"

欧内斯特、克洛蒂和吉恩也很高兴见到他们的朋友。但小队中的一个成员失联了，这让欧内斯特很是担心。

"费尔南德呢？你有他的消息吗？"

铃兰摇摇头。

"没有消息，他一定是到南部去了。"

"希望如此！"

然后是一阵沉默，每个人的脸上都充满了忧郁：他们的阿尔萨斯朋友会在哪里呢？

而此时的几百千米外，法国和德国的政府代表正在召开一次重要会议。法国承认战败，并愿意放下武器。贝当[1]元帅请求停战，这意味着法国将无条件投降。

1940年6月22日是个历史性的日子，因为在这之后的几天里，法国所有村庄都收到了维希政府[2]要求张贴在公共场所的公告。彼时欧内斯特和铃兰正在海滩上捡贝壳，克洛蒂来通知他们：

"快来！巴蒂斯特贴了公告，大家都说这件事很重要！"

---

1 法国陆军将领，维希政府首脑。
2 第二次世界大战期间，法国投降德国后成立的傀儡政府。因政府设在法国中南部的维希而得名。

孩子们冲到广场上，公告前已经聚集了一群人。公告详细列出了新规定，主要内容是：法国战败，现在全国被一条分界线一分为二，一半是占领区，一半是所谓的自由区。

对一些法国人来说，停战意味着战争结束，是件好事。格朗维尔的牧师就是这么认为的。

"至少战争结束了，所有的暴力终于要停止了。"

"当然！"村民杜兰德补充道，"还好我们有像贝当元帅这样的元首！"

其他人则对德国的占领非常不满。

"德国佬不走了吗？"蒂西耶夫人抱怨道。

"告诉你们，"她开杂货店的丈夫说道，"蒂西耶商店绝对不服务德国佬，我说到做到。"

孩子们感觉到了大人之间的紧张气氛。从小他们就听大人们谈论德国人，谈论1914年那场可怕的战争……

只有铃兰被元帅的名字逗乐了："贝当？不如叫'臭屁王'吧！爱放响屁那种！"[1]

---

1 "贝当"的法语"Pétain"与法语俗语"pète un coup"（放屁）的读音相近。

其他三个孩子听到了，也一起大声地笑了起来。

"臭屁王！"克洛蒂还笑着重复了一遍。

这个时候的他们还不知道，那些认为战争已经结束的人大错特错了，其实战争正在进入新阶段，而更糟糕的还在后面……

5

被占领

　　1940年初夏，暑假不期而至。欧内斯特和克洛蒂在吉恩一家的照顾下过得很好，巴蒂斯特和铃兰也经常来看他们。孩子们每天都玩得很开心。

　　有一天，巴蒂斯特给他们带来了一封妈妈的信。信中妈妈说她仍在瑞士的疗养院接受治疗，治疗很顺利，她非常想念两个孩子，并且很遗憾在这种艰难时刻不能陪在他们身边。信的内容让两个孩子感到些许安慰，但并不能消除他们对爸爸妈妈和外公外婆的担忧。人们都在议论停战之事，他们不知道这会不会改变爸爸的处境。

　　一天早晨，孩子们正在教堂后面踢球，一队德军进了村子。和此前经过这里的其他部队不同，这支来自战胜国的部队并不只是经过，而是要驻扎在这里。看来，格朗维尔也不能幸免于德国军队的占领。

　　巴蒂斯特骑着自行车来到孩子们身边。

　　"他们是德国人吗？"克洛蒂问，"他们来做什么？"

　　"咱们战败了，克洛蒂，"巴蒂斯特严肃地回答，"他们是来驻扎的。"

　　克洛蒂似懂非懂地点点头。

"可是……如果战争结束了，爸爸不是应该回家了吗？"

"许多法国士兵被俘，要经过德国人的同意他们才能回来……"

克洛蒂悲伤地低下了头。

"别担心，克洛蒂，"欧内斯特把手放在妹妹的肩膀上，安慰道，"爸爸一定会回来的，肯定会的。"

克洛蒂的嘴角渐渐上扬，恢复了笑容。

村民们警惕地看着这支队伍，各种疑问和复杂的情绪交织在一起。战争停止了，法国士兵将会回国，这是好事。但他们该如何与驻守的德军共处？更棘手的是，返乡的士兵又该被安顿在何处呢？

当孩子们一起回吉恩家时，欧内斯特和克洛蒂大吃一惊：通往吉恩家的岔路口处竖起了一个路标，上面写着"指挥所"，路标上的箭头正指着吉恩家的方向。

他们冲进院门，发现院子里停着几辆军用卡车，还有一辆敞篷车和一辆摩托车。房子前面的旗杆上飘着一面德军的旗帜，德国士兵们正扛着大箱小箱从房子里进进出出。

　　吉伯特夫人怀里抱着婴儿，站在台阶上迎接他们：

　　"啊，孩子们，你们回来了！我正担心……"

　　"这些德国人在这里干吗？"吉恩惊恐地问。

　　"这是我们必须面对的现实——他们征用了我们

的房子作为指挥所。"

"什么？那我们要离开了吗？"

"不用，他们留了后面的房间给我们。"

吉伯特夫人愧疚地看向欧内斯特和克洛蒂：

"很抱歉，我不能再照顾你们俩了。你们知道，我还得为这可怜的孤儿找寄养人家。"

"可是我们能去哪儿呢？"欧内斯特问。他也感到一阵恐慌。

吉伯特夫人从口袋里掏出一封信："我给珍妮写了一封信。"

欧内斯特如遭雷击。"去莫尔托家？"

没有比这更糟糕的了。

这时，原本在院子里指挥士兵卸车的德国军官冯·克里格上校走了过来。克洛蒂立即躲在哥哥身后，仿佛看见了恶魔。

"你叫什么名字？"上校问她，但没有得到回答。

"她还小，请原谅她！"吉伯特夫人打圆场道。

"唉……"上校叹息着，转身走开了。

吉伯特夫人吩咐吉恩帮欧内斯特和克洛蒂收拾
行李，三人垂着头进了屋。

屋里到处都是穿着军装的士兵，他们拿着武器，
说着孩子们听不懂的语言，就连吉恩都感觉这不是自
己的家了。

"别管他们，"吉恩低声说，"咱们还有鲁滨逊小
队的秘密基地。"

克洛蒂跟在两个男孩后面，一脸迷茫。

"咱们又要换住的地方了吗？"

"看来是的。"欧内斯特回答。

一刻钟后，兄妹俩带着一个小手提箱，同小泥巴一起离开了吉恩家。欧内斯特痛恨德国人把他们从朋友身边赶到莫尔托家，走到那个插着路标的岔路口时，他灵机一动，放下手提箱，用尽全身力气把路标转了90度，指示去指挥所的方向因此改变了。

"不许说出去，这是秘密！"他对妹妹说，"这

样，连德国佬也不知道自己住在哪里了。"

他们笑着朝莫尔托农场走去。

6

出 走

对于欧内斯特和克洛蒂的到来，珍妮并不感到意外。他们来时，她和儿子们正在院子里忙活着。

"镇长家里乱哄哄的，我就知道你们早晚会过来。"她说着把吉伯特夫人的信塞进口袋，"进来住下吧，挤一挤就好！"

"什么？"马赛隆满脸不情愿。

"不许再闹了！"珍妮厉声说。

话音未落，一辆德国卡车轰隆隆地驶进了院子。

"这些家伙想干吗？"她嘟囔着朝卡车走去。

两个士兵下了车，其中一个递给她一张公文，另一个用蹩脚的法语说：

"你好，莫尔托夫人！我是奥托，他是汉斯！我们要征用部分农场给士兵住，也要征收一些食物给他们吃……"

"看来我没得选，得更节省些了。"珍妮小声抱怨道，又对那两个德国士兵说："稍等一下，我安顿好孩子们就来。"

她回到孩子们身边，吩咐了几句：

"克洛蒂，你和我一起睡厨房。欧内斯特，我会给你在楼上放张床，你就和马赛隆、加斯顿挤一挤吧。"

马赛隆恶狠狠地瞪着惴惴不安的欧内斯特。

"德国佬要干吗？"皮埃尔问母亲。

"别这么叫，笨蛋！"珍妮呵斥道，"你想让他们听到，然后烧掉我们的农场吗？"

接着她又转向马赛隆："去给欧内斯特拿张床垫，抬到阁楼去！"

"嘿！他自己不能去吗？我又不是他的仆人！"
马赛隆抗议道。

皮埃尔拍了一下他的后脑勺："听妈妈的话，少
说废话！"

马赛隆恼怒地揉了揉后脑勺，对欧内斯特说：
"跟我来！"

马赛隆朝院门口附近的棚子走去，欧内斯特拖
着爸爸送他的木棍跟在后面。当他们走到其他人注意
不到的地方时，马赛隆突然转过身，指着欧内斯特的
鼻子威胁道：

"我警告你，巴黎佬，这儿可没你的好日子过！"

这时他发现欧内斯特的木棍上刻着字。

"嘿！这……这是你的名字？是怕你忘了吗？"他嘲笑道，"不过它被没收了！"说着他就抓住了木棍的一端。

"还给我！这是我爸爸送我的！"欧内斯特愤怒地抓住木棍的另一端，"不准碰它！"

两人拉扯间，木棍断成了两截。

欧内斯特摔倒在地，手里攥着刻着名字的那端，

泪水夺眶而出。

可马赛隆却不依不饶，说出了更加伤人的话来：

"别提你爸爸，他是个战败者，就像你一样。"

欧内斯特再也受不了了，站起来喊道：

"我恨你！听见没有？我恨你！"

他哭着冲出农场，一路喊着"我恨你！"。

马赛隆冷笑着瞥了一眼他消失在路尽头的身影。

欧内斯特无处可去，本能地走向鲁滨逊小队的秘密基地。他撞开小屋门时，怒火几乎能烧穿屋顶，幸好吉恩和铃兰正在里面。

"你的脸色怎么这么难看？"铃兰说。

"浑蛋马赛隆弄断了我的棍子！我再也不会踏进莫尔托家了！"

"那你打算怎么办？"吉恩很担心。

"嗯，我就……我就住这儿。"

铃兰和吉恩惊讶地交换了一个眼神。

"那你妹妹呢？"铃兰问，"你得照顾她吧？"

"克洛蒂还是在农场比较好。要是马赛隆敢欺负她，我就揍扁他！"

突然，小泥巴冲进了秘密基地，克洛蒂紧随其后。

"欧内斯特，你不说一声就走了？"她气喘吁吁、满脸难过地问道。

"我受够了莫尔托，受够了德国佬，受够了这一切！"欧内斯特怒气冲冲地回答，"我要住在这儿！"

"太好啦！"克洛蒂很高兴，"这样咱们就可以睡在星空下了！"

"不行！"欧内斯特坚决地说，"你得回农场去，和珍妮住在一起比较安全。"

"可是这样不公平！"克洛蒂皱着眉头抗议道。

欧内斯特平复了下情绪，弯腰柔声对她说：

"听着，克洛蒂，这是为了你好。你不能告诉任何人我在这里。这是咱们俩的秘密，明白吗？"

克洛蒂虽然不情愿，但没有坚持。哥哥抱了抱她，她就带着小泥巴离开了。

欧内斯特让吉恩和铃兰也保守这个秘密，他们三个向天空伸出双臂，一齐喊道："永远在一起！"

7

森林独居

等克洛蒂回到农场时，德国士兵已经安顿好了。珍妮马上冲过来，拉住她问：

"我听说你哥哥和马赛隆吵架了。你知道他去哪儿了吗？"

"不知道，我不知道。"她在撒谎，所以不敢抬头看珍妮的眼睛。

"你要是知道什么，一定要告诉我，好不好？"

克洛蒂没有回答，闷闷不乐地躲进了厨房。她坐在餐桌旁，感到被哥哥抛弃了，但自己还是不能背叛他。

这时，德国士兵汉斯和奥托从二楼下来了，他们聊得很开心。从克洛蒂身边经过时，汉斯顺手从盘子里拿了两个苹果，把它们放进了口袋里，还对她露出了狡诈的一笑。在屋门口，他们碰上了端着一盆衣服的珍妮。珍妮刚把盆子放在桌子上，立刻就发现苹果不见了。

"哎，苹果怎么不见了？你给小泥巴吃了？"她问坐在桌边的克洛蒂。

"我没有！"克洛蒂指着汉斯辩解道，"是他拿的！"

汉斯正穿过院子朝卡车走去。

珍妮怒气冲冲地追上他："喂，随便拿别人的苹果不好吧？"

"什么随便拿，这是征用！"汉斯恶狠狠地瞪了珍妮一眼。

"征用？凭什么！"珍妮双手叉腰反驳。

汉斯威胁道：

"我们可是胜利者！当然想拿什么都可以！在这里我们说了算！明白了吗？"

他咬了两口苹果，然后把它扔到了地上。

"明白了吗？"他又用德语喊了一遍。

皮埃尔目睹了这一幕，不禁怒火中烧。他攥紧拳头向这两个德国士兵走去，想给他们几拳。但早已上了卡车的奥托，向汉斯喊道：

"汉斯！快上车！"[1]

---

1 原文为德语。

汉斯照做了，随后卡车驶出了院子。

这时小泥巴猛地冲向扔在地上的苹果，珍妮却拦住了它。

"别吃，脏死了！"她一脸厌恶地说。

傍晚，克洛蒂蜷缩在厨房里临时铺就的床铺上。没有欧内斯特的陪伴，她感到很痛苦。皮埃尔不知道克洛蒂在那里，拿着一支步枪走了进来。他从地板上揭起一些木板把枪藏进去，然后把木板放回原处。做完这一切，他才看到克洛蒂正睁大眼睛看着他。

"嘘！"他说，"这是我爸爸的步枪，藏在这儿，德国佬就不会发现了。"

他走近克洛蒂，用非常低沉的声音继续说道：

"别说出去，好吗？这是咱们俩的秘密……"

克洛蒂受够了这些秘密，垂下脑袋闷哼了一声。

"别担心你哥哥。他不傻，天黑前肯定能回来。"

欧内斯特、吉恩和铃兰花了一整天的时间布置秘密基地，以便欧内斯特可以舒服地住在这里。两个男孩去大路看了看，路边仍然散落着几天前逃亡者遗留的各种物品。他们推着一辆手推车捡回了不少好东西，有一个平底锅，一条毯子，一盏煤油灯，甚至还有一个破旧的汽车座椅。欧内斯特得意极了。

"我给你带了些面包，还有培根和苹果。"铃兰说道。

她还在一个角落用几块木板和一堆干草为欧内斯特铺了张床。

"噢！我要过好日子啦！"欧内斯特一边说，一边扑向床铺。

只听咔嚓一声——床比他想象得要脆弱——三个人都笑了起来。

太阳快落山时，珍妮开始担心起欧内斯特。

"可别出什么事。"

皮埃尔决定去周围转一圈，看看能不能找到他。

"记得在宵禁[1]前回来！"珍妮提醒道。

皮埃尔找了许久，直到夜幕降临才回来，什么也没找到。

吉恩和铃兰也要离开基地了。"在天黑之前，我们要回去，免得被抓。"铃兰说。

基地只剩欧内斯特一个人了，最初的兴奋很快变成了恐惧。猫头鹰的叫声，小动物穿过草丛的窸窣声，哪怕是最轻微的声响都会吓他一跳。吃完饭，他想睡却睡不着。明晃晃的月光透过树叶，投下了诡异的影子。

---

1 第二次世界大战时，德军占领法国期间，规定所有居民须在某个特定时间点前返回住所，这样的规定称为"宵禁"。

半夜，他感觉有脚步声越来越近，惊恐地从草垫上坐起身来。他知道不能坐以待毙，于是鼓起勇气，双手拿着木棍站了起来，重新点亮油灯。

"喂！有人吗？"他用颤抖的声音问，"谁在那儿？"

这时欧内斯特听到了呼吸声，吓得浑身发抖。他走出基地，猛然撞见一头狂怒的野猪。他正要往后退，却被一根树根绊倒在地。他赶紧爬起来，冲向观察哨的梯子。爬上去后他的心脏依然怦怦跳个不停，但总算安全了。

8

鲁滨逊秘密基地

晨光熹微，照在冻得瑟瑟发抖的欧内斯特的身上。

几千米外的莫尔托农场里，此刻已经是早餐时间。克洛蒂盯着面前的麦片粥一动不动。

"你怎么不吃？"珍妮很担心，"吃点儿东西才有力气！"

克洛蒂的神情看起来比前一天更哀戚了。而在她对面，加斯顿和马赛隆吃得津津有味。

这时，皮埃尔推开厨房门进来了。他刚刚又去外面找了一圈。

"找到他了吗?"珍妮担心地问。

"没有,"他叹了口气坐下,"还是没找到。"

珍妮听了急得团团转。

"孩子们,吃完饭你们再在周围好好找找,非把欧内斯特找回来不可。我担心得一夜没合眼。"

这时德国士兵依次下楼,向珍妮行礼,但没有人回应,他们便自顾自地在餐桌边坐了下来。

"嗯,好吧,好吧[1],早餐要是能吃点儿香肠就好啦!"汉斯一边说,一边贪婪地看着小泥巴。

"没有香肠!"珍妮冷冷地说,"在这里,我做什么你们就吃什么。"

看她语气强硬,汉斯没再说什么。

吃完饭,加斯顿带着克洛蒂走进牛圈,教她挤牛奶。

"它不疼吗?"克洛蒂问。

"不疼,我爸爸说过,动物如果觉得疼,会让你

---

1 原文为德语。

知道的。"

他将挤好的牛奶拿出来，放在好奇的克洛蒂面前。

"你爸爸也去打仗了吗？"克洛蒂问他。

"不，他生病死了，因为不小心吸了芥子气[1]。那时我还很小，所以不太记得他。"

"加斯顿，你爸爸不在了，那你妈妈一定很难过。"

---

1 一种糜烂性毒剂，第一次世界大战时德国军队曾使用过这种化学武器。

"我不知道，她从来不提爸爸，"加斯顿回答，"都是皮埃尔告诉我的，他知道爸爸的很多事。"

克洛蒂听到这儿，一下子变得很悲伤。"我爸爸很聪明。他总是在看报纸，还会给我讲很多故事。我真希望他不要打仗了，快点儿回家。"

"会的，肯定会的，"加斯顿试图让她放心，"一定很快就会回来的。"

铃兰一大早就到了鲁滨逊秘密基地。

"早安，睡得好吗？"她问。

"我睡得像婴儿一般香甜呢。"欧内斯特说。

"在森林中睡觉是不是很好玩？走吧！我带你去摘果子。"

铃兰领着他穿过森林，来到一棵野樱桃树下，又带着他一起爬上去摘樱桃吃。

"你对这片森林好熟悉啊，这里有野兽吗？"欧内斯特假装不经意地问，"万一有动物闯进基地，你会怎么办？"

铃兰笑了笑，说道："森林里已经很久没出现过

狼了。不过要是你遇到的话，只要弄出很大的动静，就能把它吓跑！"

当他们回到基地时，吉恩、克洛蒂和小泥巴正在那儿等着他们。克洛蒂是找机会从农场里溜出来的。

"你们去哪儿了？"吉恩好奇地问。

"铃兰带我去采野果了。"欧内斯特回答。

然后，他皱着眉头看着妹妹：

"你怎么来了？"

"莫尔托一家一直在到处找你！"

"他们没有看到你过来吧？"

"没有，我很小心的。"

"你不要再到这里来了，太危险了。万一被马赛隆或加斯顿跟踪了怎么办？我藏在这里的事情一定要保密！"

"我受够了这些秘密！我说过我很小心的！"克

洛蒂发火了，"你真坏！我讨厌你！"

她哭着跑进了森林，小泥巴紧随其后。欧内斯特没有去追。

"你对她太凶了。"铃兰说。

欧内斯特低下了头。

一棵大树后面，加斯顿目睹了这一幕。虽然克洛蒂倍加小心，但还是被加斯顿跟踪了。鲁滨逊小队的秘密基地也还是被发现了。

9

什么都不怕

克洛蒂没有回农场，而是一直在村子里游荡。她像丢了魂一般向前走着，直勾勾地盯着地面，没有注意到马赛隆和他的朋友保罗来了。马赛隆抓住她的肩膀使劲摇晃：

"都是因为你那个哥哥，害我整天被妈妈骂，快说他在哪里！"

"我不知道！放开我！"克洛蒂喊道。

幸好这时有两名德国士兵朝他们走来，男孩们吓得跑开了。

克洛蒂继续到处走着，不知不觉走进了蒂西耶

71

咖啡馆。收音机里播着新闻，几个常客在喝咖啡。巴蒂斯特坐在吧台前看报纸。

"克洛蒂，你怎么看起来失魂落魄的！"他问，"欧内斯特呢？"

克洛蒂还没来得及回答，一辆汽车便停在了咖啡馆门口，车门砰的一声关上，冯·克里格上校带着两个士兵冲了进来，手里拿着冲锋枪。他看起来非常生气。咖啡馆瞬间安静了下来。

"女士们、先生们，我希望与大家保持良好的关系。"他用浓重的德国口音说，"但有人蓄意破坏路标，这是我们不能容忍的行为！"

克洛蒂吓得脸色苍白。

上校对手下吼道："关掉收音机！"

其中一个士兵走过去，用枪托把收音机砸碎了，整个咖啡馆的顾客都目瞪口呆地看着这一切。

"我说得够清楚了吗？"上校背着双手环视了一圈，然后说，"再见！"

德国人踩着军靴离开了。

"那个收音机还很新呢！"蒂西耶夫人哀叹道，
"这帮浑蛋！"

然后她对刚从杂货店过来的丈夫说：

"你倒好，一声不吭！"

"我还能说什么呢？"

"我还能说什么呢？"她模仿丈夫的神情说道。

克洛蒂离开咖啡馆，朝莫尔托家走去。她感到
非常虚弱，几乎走不动路了，勉强回到农场后，一下
子瘫倒在了厨房的床垫上。

不一会儿，珍妮挎着一篮子土豆走了进来。她立刻注意到了躺在那儿的克洛蒂。

"克洛蒂，这时候你躺在床上做什么？"

克洛蒂没有回答。珍妮走到床边，摸了摸她的额头：

"这么烫！你生病了吗？"

克洛蒂眼睛湿漉漉的，脸色十分苍白。

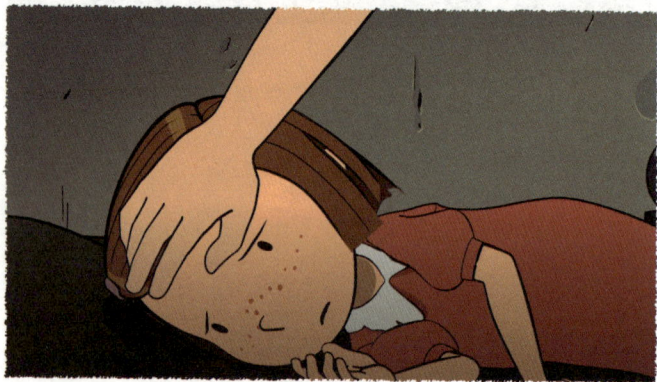

"真是祸不单行。"珍妮叹了口气。

此时的森林里，欧内斯特兜里揣着刚摘的野果，回到了基地，立即发现他的新家被破坏得一塌糊涂：

他用木板搭的门七零八落，铺床的干草散落一地，仅剩的食物不是不见了就是被踩烂了。

"莫尔托家那帮坏蛋！"他怒气冲冲地喊道，"我早就跟克洛蒂说过！"

然后他发现地上有奇怪的痕迹，蹲下细看，分明是蹄印。他立即修正了自己的判断：

"是野猪！"

显然这里已经被盯上了，甚至已经被这个找到了食物的家伙划为了自己的"领地"。那么它就肯定还会再来。于是这天晚上，欧内斯特把门板摆成掩体，守了大半夜。

夜晚明月当空时，果然有沉重的脚步声响起。野猪再一次闯入了"领地"，并凭嗅觉发现了蹲守的欧内斯特。

"我不怕，我不怕，我不怕……"欧内斯特浑身发抖地念叨着给自己壮胆。

野猪咆哮着冲过来，几块木板根本挡不住它。幸好欧内斯特提前准备了一个旧锅和那仅剩下半截的木棍，于是拼命地用木棍敲打起旧锅。正如铃兰所说，野猪被吓坏了。欧内斯特边敲边站起身来，口中壮胆的话也越喊越响：

"我不怕……我不怕！"

野猪被吓跑了，欧内斯特乘胜追击，好让这野兽明白，谁才是这里的主人！

直到野猪的踪影完全消失了，筋疲力尽的欧内斯特才四仰八叉地倒在草地上，气喘吁吁。但这一刻，他的心里满是欢喜。他赢了这一仗，更重要的是，他战胜了自己心里的恐惧。

　　"我什么都不怕！再也不怕了！"他对着月亮大

喊，"啊——呼！"

10

团 聚

又过了一夜，克洛蒂的病情还是没有好转，她一直昏昏沉沉的。早上，珍妮摸了摸她滚烫的额头，给她裹紧了被子。

皮埃尔和弟弟们正在吃早饭，珍妮坐了下来，对他说：

"要是克洛蒂到中午还没有好转，就得去找医生！她是因为太担心她那个傻哥哥才病倒了。可怜的孩子，父母不在身边，外公外婆也不见了，现在连哥哥都失踪了！"

加斯顿默默喝完粥，悄悄溜出家门，飞奔向鲁滨逊秘密基地。

欧内斯特正在整理小屋，听到加斯顿喊他，怒气冲冲地迎了上去：

"是谁告诉你我在这里的？快走开！"

加斯顿跑得气喘吁吁，好不容易喘匀了气，说道：

"我不是来跟你打架的，是克洛蒂……"

"克洛蒂怎么了？"欧内斯特顿时担心起来。

"你得回去！她病得很重！"

欧内斯特如遭雷击。他答应了爸爸和外公要照顾妹妹，他不能抛弃她。不管怎样，他都得回去找妹妹。

十几分钟后，他和加斯顿一起冲进了农场院子。马赛隆看到后，立刻来找碴儿：

"你回来干吗，巴黎佬？"

"闪开！我来看我妹妹！"

欧内斯特现在无所畏惧，一把将马赛隆推倒在

地，然后向厨房冲去，正好撞上了从那里走出来的
珍妮。

"啊，你可算回来了！"珍妮说，语气里毫无责
备之意。对于欧内斯特的归来，她的欣慰多过生气。

欧内斯特低下了头。珍妮朝克洛蒂的床的方向
努努嘴：

"去抱抱你妹妹吧！然后去洗个澡，你脏得像
只猪！"

"对不起，珍妮！"欧内斯特羞愧地道歉，局促
地站在那里。

克洛蒂从床上勉强支起身子。

"欧内斯特，是你吗？"

听到厨房另一头传来的微弱的声音，欧内斯特立刻冲过去把妹妹抱在了怀里，两个人泪水涟涟。

克洛蒂是多么想念欧内斯特啊！

"你不会再走了吧？"她急切地问。

"不走了，克洛蒂，我会一直在你身边。"

"真的？"她抽泣着问。

"真的，我保证永远陪着你……我会好好照顾你的。"

这时，珍妮家的狗开始狂吠。

"嘿！大家快来！"加斯顿在院子里喊，"你们绝对想不到发生了什么！"

"慌什么！你见到鬼了吗？"珍妮好奇地问。

她迈出房门，欧内斯特搂着妹妹跟在她身后，三人震惊地看到兄妹俩的外公和外婆慢慢向他们走来。外公一只胳膊缠着绷带，另一只胳膊搭在外婆肩上，两个人看起来都非常疲惫。

兄妹俩立刻跑向外公外婆，四个人紧紧地拥抱在一起，哭得不成样子。此刻的重逢让他们感到无比高兴和激动。外公的手臂虽然受伤了，但他找到了外婆，还和她一起平安地回到了家，这才是最重要的。

珍妮也感动得流下了眼泪。小泥巴在他们周围蹦蹦跳跳，用自己的方式庆祝着这个家庭的重聚。这下克洛蒂彻底痊愈了。

当然，欧内斯特和克洛蒂的爸爸妈妈依然远在他乡，他们的命运依旧让人担忧。占领仍将持续很久。像千百万法国人一样，格朗维尔的村民们不得不暂时与敌人共处。但对兄妹俩来说，亲爱的外公和外婆回来了，他们将会一起度过这些难关。

未完待续……

真实事件

探寻"悠悠长假"背后的历史

法国沦陷

1940年6月，法军无力抵挡席卷法国的德军。德军的"闪电战"策略令法军措手不及，法军全线溃败，法国代表向德国代表签署了投降书。

战 俘

在与德军作战的过程中，约有180万法军被俘，其中就包括欧内斯特和克洛蒂的父亲。被关押在德国"战俘营"的被俘法军，被迫在矿井、工地、工厂等地从事苦役。在被关押期间，部分战俘仍在积极反抗，最终成功逃出了战俘营。

大逃亡

　　1940年春天，德国军队突袭法国。800万～1100万法国难民逃离北部战区。人们徒步、推车、骑车、驾车，抛弃家产，涌向尚未被德军占领的法国南部。德军战机沿途扫射难民，公然违反战争法，导致大量平民死亡，大批儿童成为孤儿。

继续逃亡……

贝当掌权

第一次世界大战期间，贝当指挥凡尔登战役获胜，出任法军总司令。1918年晋升法国元帅。

1940年任法国总理时向德国投降，并组织维希政府，成为法西斯德国的傀儡。

贡比涅停战协定

1918年11月11日，德国与协约国在法国巴黎贡比涅森林地区的一节火车车厢里签署了投降协定，标志着第一次世界大战以同盟国集团的失败而告终。第二次世界大战时期，贝当政府认为法国必败无疑，主张向德国投降，德国坚持要求在贡比涅森林地区签订协议，于是两国代表于1940年6月22日在贡比涅签署了第二次贡比涅停战协定。协定规定法国停止军事行动，仅保留一支约十万人的小规模军队，其余部队解除武装，同意德军占领法国60%的领土。

乡村生活

　　1940年，约半数法国人生活在乡村。他们像莫尔托一家那样自给自足——自种蔬菜，饲养家禽家畜，获取肉蛋奶。一头成年猪提供全家一年的肉食。如果没有被外公买下来，成年后被吃掉可能就是小泥巴的结局。乡村生活与城市生活存在较大差异，因此，从巴黎来的欧内斯特和克洛蒂一开始并不适应乡村生活。

它不疼吗？

再浇一点儿，好孩子。今年的菜园可不能荒废！

德军反客为主

　　法国大部分领土被德军占领后，占领区的德军强征民宅，当地居民被迫为敌军提供食宿。德军夜间严禁居民外出，规定影院、餐馆仅供德军使用，要求设立德语标志。他们还不断通过广播、报纸进行纳粹思想宣传，如有人反抗便会遭到严惩。

新政权

　　法国向德国投降后，以贝当为首的法国政府迁到法国中南部的小城维希，称为维希政府，贝当出任国家元首。

Title #2: Pris dans la tourmente – Les grandes grandes vacances © Bayard Editions, 2024
Texts: Michel Leydier
Illustrations: Emile Bravo
Simplified Chinese edition is arranged via Dakai-L'Agence.

著作权合同登记号　图字：01-2025-3256

图书在版编目（CIP）数据

悠悠长假 . 2，暴风雨来临 /（法）米歇尔·莱迪耶
(Michel Leydier) 著；（法）埃米尔·布拉沃
(Emile Bravo) 绘；水冰译 . -- 北京：北京科学技术
出版社，2025. -- ISBN 978-7-5714-4766-3

Ⅰ . I565.84

中国国家版本馆 CIP 数据核字第 2025AN2368 号

策划编辑：	周孟瑶	电　话：	0086-10-66135495（总编室）
责任编辑：	李珊珊		0086-10-66113227（发行部）
责任校对：	贾　荣	网　址：	www.bkydw.cn
封面设计：	孟　娜	印　刷：	北京顶佳世纪印刷有限公司
图文制作：	木　木	开　本：	787 mm×1092 mm　1/32
责任印制：	李　茗	字　数：	46 千字
出 版 人：	曾庆宇	印　张：	3.125
出版发行：	北京科学技术出版社	版　次：	2025 年 9 月第 1 版
社　　址：	北京西直门南大街 16 号	印　次：	2025 年 9 月第 1 次印刷
邮政编码：	100035		
ISBN 978-7-5714-4766-3			

定　价： 30.00 元